KB050094

너의 끈

너의 끈

초판 1쇄 인쇄일 2014년 9월 26일
초판 1쇄 발행일 2014년 10월 1일

지은이 성봉수
펴낸이 양옥매
디자인 최원용
교 정 조준경

펴낸곳 도서출판 책과나무
출판등록 제2012-000376
주소 서울특별시 마포구 월드컵북로 44길 37 천지빌딩 3층
대표전화 02.372.1537 팩스 02.372.1538
이메일 booknamu2007@naver.com
홈페이지 www.booknamu.com
ISBN 979-11-85609-72-0 (03810)

이 도서의 국립중앙도서관 출판시도서목록(CIP)은 서지정보유통지원
시스템 홈페이지(http://seoji.nl.go.kr)와 국가자료공동목록시스템
(http://www.nl.go.kr/kolisnet)에서 이용하실 수 있습니다.
(CIP제어번호 : CIP2014026788)

*저작권법에 의해 보호를 받는 저작물이므로 저자와 출판사의 동의 없이 내용의
 일부를 인용하거나 발췌하는 것을 금합니다.
*파손된 책은 구입처에서 교환해 드립니다.

"이 책은 한국문화예술위원회의 문예진흥기금과 세종특별자치시의 보조금 일부를
지원 받아 발간되었습니다"

너의 끈

성봉수 지음

책과나무

Contents

속절 없는
가난의
굴레

 서 문

'내 주머니를 털어 시집을 내는 일은 없다'
詩作을 하면서 처음 먹었던 마음입니다.
쌀독을 긁는 현실적인 이유도 있었지만
어쨌건, 그 자존심이 오늘의 나를 만들고
결국 약속을 지켰습니다.
살다 보니 삼류에도 이런 좋은 날이 왔습니다.

그간 발간했던 다섯 권의 e詩集을 출판사에 건네고
모든 것을 일임했습니다.
편집국에서 건너온 선별한 시들을 보니
모두가 여러분의 것이었습니다.
이제 여러분의 시를 여러분께 돌려드립니다.

기회가 되면 내 시를 여러분과 함께하는 날이 있기
를 소망합니다.

아버님. 누님. 그리고…….
얼마나 많은 인연이 내 손을 잡았다 떠나갔던가.
당신의 쭉정이뿐인 몸까지 살라
못난 아들의 허리춤을 잡고 계신 어머니.
가난한 나를 집필실에 밀어 넣은 상호 군.
그리고 내 가슴 깊은 곳에 쟁여진 앞선 인연들의 절
절한 그리움에
이 책을 바칩니다.

2014 가을에.

아픈 사랑의 이름 석 자

먼지 한 톨의 기억으로도 남기지 말고,

담배 한 모금의 연기처럼 잊혀지게 하소서.

이별,
그 아픔

그런 이별이 나쁘랴

미치도록 아픈 이가 나쁘랴

그리움에 잠 못 드는 헤진 가슴을 쥐어뜯는 이가

어디 나쁘랴

어디 나쁘랴

포갤 수 없는 손바닥에 촉촉이 고인 이별의 땀방울

실없는 웃음의 눈물 뚝뚝 떨쿠어 감추는 이가

어디 나쁘랴

어디 나쁘랴

그리움이 병이 되어 잠 못 이루고

베갯머리 축축이 적시는 긴 한숨으로 밤을 나는 이가

어디 나쁘랴

사랑하는 사람아

눈물 한번 펑펑 쏟아 내지 못하고

담담한 척 또각또각 온 길 되돌아가는 이가

어디 그대뿐이랴

기억의 시간들을 채곡채곡 되 마르며 떠나가는

사랑의 뒷모습을 바라보고 서서

소리 없이 눈물만 흘려야 하는 사람이

어디 그대뿐이랴

그런 이별이 어디 나뿐이랴.

잊혀진 것이 있었네

잊혀진 것이 있었네
가지 말란 한마디 끝내 말하지 못하고
내어 밀은 이별의 악수

별일 없듯 뒤돌아서며
목이 아리도록 참아 내던 울음
행복하라 행복하라

한 잔 술 못 비우고 토악질 하는 뒷골목
언젠가 함께 했던 캐럴소리
어디선가 옛 얘기도 있으라 흘러나오고

무거운 어깨 추스려 올려다본 하늘엔
그 날의 별빛들 죄다 눈꽃이 되어

내 희끗한 머리칼 위로 쏟아져 내려,

사각 사각 멀어져 가던 발자욱

그렇게 잊혀진 것이 있었네

아픈 이별의 기도

입 맞추고 돌아서는 길에

쓸쓸히 멀어지는 그림자를 보았나이다.

우리에게 주어진 시간이 얼마 남지 않았음을 알았나이다.

천상에 계신이여,

그의 가슴에 내 이름 석 자

먼지 한 톨로도 남겨지지 않게 하시고

행복을 위해서만 나아가게 하소서.

그의 아픔 다 내 것이 되어

지난 시간의 쓰린 기억들 모두 내게 남기고,

그렇게 훌훌 털고 가게 하소서.

늘 아프지 않게 하시고

늘 배부르게 하시고

늘 웃게 하시고

늘 사랑받게 하소서.

천만년에 억겁의 세월이 다시 온데도
행복을 비는 내 염원만은 변치 말게 하옵시고
건네는 사랑일랑, 그에게는 허락지 마시고
세상 모든 사랑을 받게만 하소서.
아픈 사랑의 이름 석 자
먼지 한 톨의 기억으로도 남기지 말고,
담배 한 모금의 연기처럼 잊혀지게 하소서.

모놀로그 Monologue

그녀는 울지 않았다
나를 던지게 하는 용기였다
그녀의 가슴에 닿지 못한 내 언어들은
8월의 빈 밤하늘을 빙빙 떠돌다가
되돌아온다
되돌아온 말들은 막 나서려는 말들과 뒤범벅이 되어
엉망이 돼 버린다. 당혹스런 일이다

좁은 어깨라도 찢어 안아주면 그뿐이었다.
침묵하지 못했다 받아들일 수 없다고, 알면서도.
그녀에게 가장 필요한 침묵을 안겨 주지 못했다

알면서도.
이 무슨 주접인가

좁아지지 않을 그녀와의 거리를 인정할 수 없었겠다.
오기였겠다. 질투였겠다. 옹졸한 자존심이었겠다.

그렇게 약지 못한 독백의 막이 내리고
무대 위의 나와 관람석의 그녀 사이에
구겨진 휴지처럼 떨어진 오버 된 액션의 근심들이
허접스런 내 이름을 손가락질하며
피식 피식 웃고 있었다.

여름 강가에서

토닥토닥 빗방울 소리가 창문을 넘어서는 오늘에서야
나는 네 강가에 너는 내 강가에 서 있었음을 알았다
모두가 떠나버린 바람 부는 강 이편과 저편에서
겨울의 시린 빈 마음을 마주 잡고 있었음을
장맛비에 계절이 모두 쓸려 가버릴
비 내리는 기억의 아픈 강가에
홀로 선 오늘에야 알았다.

201207043328
비 오는 아침,
서영은의 〈너에게로 또다시〉를 들으며

밥 묵자

술

가 보자!!

끝이 어딘가…….

모둠 꼬치

벌써 끓긴 목숨을 토막 내고
그 살을 또 창에 꿰어 들고
야금야금 빼어 먹는
사람 참, 독하다

사랑도 사람의 일이다
이미 잊은 어제의 얼굴을
오늘의 술잔에 꾀어 앉은

어긋난 인연의 그대와 내가
이별의 시린 꼬챙이에 꿰어 있다

20130415월 대전투다리에 쓰고
201310150445금 옮김
Yester－me, Yester－you, Yesterday/Stevie Wonder

상심의 바다

즐거움, 기쁨, 그리움, 분노, 슬픔……
모든 감정으로부터의 배척.

끝없는 무력감.

등대

햇살 푸르러 갈매기 날고
고요한 물결 위로 은비늘 찬란하면
님은 내 곁을 떠나갔겠다

절망이 비바람 치던 거친 어둠 속
희미한 호롱불 같던 마음 빛 한 점
살기 위한 몸부림의 기도였겠다

아프지 않으면 다가갈 수 없는
아프지 않고는 보아주지 않는
님의 기억 끝 잊힌 오늘 위에
이 밤도 쓸쓸한 불을 지핀다
혼자서 혼자서만 불을 밝힌다

바람은 내 가슴에서 불어오나니

바람아,
떠나 버리면
시궁창 같은 빈 가슴속
고독의 시침時針은 멈춰지겠지

다시는 돌아오지 말아라
때도 없이 찾아 나선
나약한 그리움
혼자 있게 팽개쳐 두고

너도 너도 떠나라
바람은 항시 그곳에서 불어오거늘
울다 울다 잠이 들려니.

옹이 앞에서

너도 아팠니?
네 살점 하나 어디에 버렸느냐고 물어 올 때
너도 아팠니?
너도 어쩔 수 없는 그 물음 앞에 눈물만 흘렸니?
알아, 난.
네가 네 팔을 어찌 버렸겠어.
하지만 네겐 없잖아!
없으니까 네게 묻는다는 것.
그래서 말 못하는 거지? 말하기 싫은 거지.
말도 못하고
터지는 눈물 네 안으로 꿰맨 거지!

너도 나 같이 많이 토했니?
눈 감음이 최선이라 생각하도록

많이 토하고 아팠니?

어찌 견뎌냈어?

견디니 잎이 돋아나든?

넌 참 용하구나.

뭐가 널 용하게 했을까?

봄의 약속과 겨울의 시련?

나도 그날이 오도록 기다릴 수 있을까?

햇살과…… 눈발……

내게도

내 안으로 꿰맬 아침이 남아 있어

너 같이 잎을 피울 수 있을까?

그날이

남아 있을까!

……

200807181650

Good Bye My Love / James Brown

낙엽

나는 추락하였다

그리하여 머물 곳 없이 쓸려 다니고야

초록은 얼마나 교만스럽도록 어리석은 열정이었더냐

누가 내게 왔었는가?

햇살 그대

바람 그대

7월의 장맛비, 그대였는가

인연의 가지 끝을 놓고

쓸쓸히 구르는 이별이 되어서야

구르다 가난한 시인의 술잔에 담긴

눈물이 되고 나서야

혼자 안고 혼자 앓다 덧없이 혼자 남은

혼자만의 초라한 주검이었다

후後에

간절하여 별빛도
물에 닿으니 흐려지거늘
하물며 탁한 눈빛 반나절
보고픔의 응달에 비추었다고
빙하 같은 외로움에 오죽했겠소

발가벗겨 젖무덤에 코를 박고
눈물을 펑펑 쏟아 울고 나서야,
없는 것은 비운대로 살아가도 될 성싶소만
보따리는 어이 잊고 떠나신 게요

후에
노린내가 나도록 담배를 빨고 나서야
헛바닥을 해여 놓는 목마름을 알게 됐구료

후에

차가운 이불 속에 웅크려 엎어져서야

이토록 모질도록 쓸쓸한 게 밤이란 걸 알게 되었소

지옥의 형벌이면 이처럼 가혹할까

후에야

후에야

알게 되었소

그대의 서럽던 울음

시린 바람의 메아리 되어

남루한 제 옷에 펄럭입니다

슬픈 계절의
노래

그리울 눈

숭숭 뚫린 허기의 뼛속으로 채워지는
가난의 눈꽃이여

그것은,
불구녕으로 다져야 할 체념의 탄가루.
반기지 못한
오늘의 서글픔,

얼음 틀에 곱게 곱게 재워 놓았다
삼복더위 숨이 차는 쓸쓸한 여름날
사실은…… 사실은……
꺼내 보리니.

20081205금
귓불이 떨어지라 그리운 날 쓰고 옮기다.
계절이 익고, 여름도 겨울도…… 모두 떠나고,
그 겨울의 눈발 한 점, 내 가슴에 남겨져 있었다.

까치밥

다 비우지 못한 나와

다 거두지 못한 네가

빈 하늘 끝 마른 가지를 잡고 있어도

이미 너는 아니고

나도 아니다

손을 놓고

끝내 서로에게 버림받은

간절했던 한 계절

망각의 단절된 울혈로 남아

혼자서 덩그러니 물러가고 있었다

비 오는 7월의 가로등 아래

갑작스레 쏟아진 빗줄기가 아니었다면
오도 가도 못하고 거기에 서 있지 않았었겠지
그곳에 서 있지 않았더라면
네 안에서 몽골몽골 피어오르는 담담한 한숨을
볼 수 없었겠지. 그랬었다면,
홀로 어둠을 벗어나기 위해
얼마나 절절히 제 몸을 태우고 있다는 걸

알지 못했을 거야
꿈속까지 쫓아온 빗줄기가 기억을 불리고
그리움의 딱지를 떼어내어 온 밤을 아프게 한 것도

내가 거기에 없었더라면.

다시, 겨울로

가자.

고독아

그리움아

지친 사랑 같은,

내 모든 가난아

눈발 속에서 강아지처럼 깡충거리는 아이들의 웃음.

보이거든,

먼 웃음보다 나은 뜨거운 눈물이 있는 곳

운명 같은 세상의 모든 가난이여

다시 겨울로 가자

비 개인 7월의 텅 빈 거리에서

휴일 텅 빈 거리.
포만한 이에게는
비 그친 화창한 햇살 아래 여유로운 휴식의 시간들었이지
차라리 비가 내렸더라면 좋았겠다
나는 참 쓸쓸했다

7월의 햇살은 참 쓸쓸했다
고독의 음침한 고랑 속으로 밀어 넣을 뿐이었다
어둠과 밝음의 그 모호한 경계선을
나서지도 돌아서지도 못하고
종일을 서성였다.

배가 아무리 고파도 나설 수가 없었다.
그리움의 허기는 오히려 달콤한 환상을 포박했다.

햇살은 이리도 잔인하여

혼자인 나를 눈멀게 하고

너는 빈 하늘 저편에서 환하게 웃고 있었다

200907262644일

가슴이 터질 것 같다

낙화落花

묵은 씨앗의 껍질엔 봄볕이 너무 멀더라
움을 틔우지 못해도
꽃그늘은 화사하고 바람은 청량하고
앞서서 저만치 그대 떠난들,

겨울은 참 길기도 하였더라만
돌이키면 늘 그래왔거니,
내가 그댈 보내고 맘 아파한들
이 동토의 긴 기다림을 어찌 알 거며
그대가 누구를 떠나보내고 아프다 운들
잊을 거라 그럴 거라 말하는 것처럼.

돌이키면 늘 그래 왔거니,
나플나플 꽃잎이 내 것인 양 날리우고

앞서서 저만치 또 저만치 그대 떠나도

봄볕은 아직도 멀리 있기로

슬퍼할 일 요만큼도 없는 거더라

오월이 가다

오월이 왔다

오지 않았더라면

별스럽지 않게 보냈으리라

아무개와 쐬주잔이라도 맞잡고 앉아

떠나보낼 꼬리를 물고 아쉬워할 오늘 하루

기억도 없는 보신각 종소리의 기인 파동에 던져졌겠지

내게 온 그런 오월은

뒤돌아 슬프도록 혼자 있게 하다

겨울 아침 길섶에 내린 얼음꽃으로 빈 마음을 잡고

애태우더니

떠나가더라

어쩌면……

오월이……

떠나

가더라.

200912313038목
쓸쓸히 오월을 떠나보내는 마지막 밤

빈 들에 부는 바람

낙엽 지는 고갯마루를 넘어서다
바람같이 다가온 빈들에 서서
많이도 울었습니다

초록의 설렘과 햇살의 정열들은
비명보다 빠르게 지나가 버리고
가을이 되어서야 움쑥움쑥 자라나는
그리움과 서러움의 빈들이 되어
그대 많이도 울었습니다

얼마나 아팠으면 제게 안겨 물었으랴만
울다가 떠나갈 허무의 바람,
처음부터 알고 있었습니다
그래서 아무 말도 하지 않았습니다

가을도 떠난 동토의 빈들에 눈이 쌓이고

처음처럼 여기에 홀로

서 있습니다

그대의 서럽던 울음

시린 바람의 메아리 되어

남루한 제 옷에 펄럭입니다

겨울 강가에서

가난에 미친 손톱이 얼굴을 할퀴었다
단추 하나가 떨어져 데구루루 굴러갔다
여밀 수 없는 앞섶을 풀어헤치고
나도 미쳐서 굴러갔다

먼 하늘의 구름은 고요했다
억새도 남쪽으로 누워 흔들리는 겨울
동짓날의 횡횡한 바람을 업고
걷고 또 걸었다

그 길의 끝에 누가 나를 기다리던가
오그라든 손으로 담배를 빨다가
껍질뿐인 몸을 돌려세웠다

맞바람이 살을 에어도
더는 너를 위해
여미지 않으리라

어금니를 깨물어도
강아지 울음 같은 바람이
끼익 끼익 울대를 넘어섰다

모두가 미안한 일이다
억새는 남으로 누워 흔들리고
나는 찔둑 찔둑 북으로 걸었다

큰일입니다, 가을입니다

느닷없이 하늘이 높아지고

바람이 쓸쓸하여진 오늘

자전거에 끌려 무작정 집을 나섰습니다

당신이 기다리던 길 위를 구르다

당신을 기다리던 길 위에 구르다

벗은 맘이 겸연스러워

누가 볼라 부리나케 돌아왔습니다

앞마당 맨드라미를 안고 턱을 괴었다

커피를 한 잔 하얐구나, 머뭇거렸지만

그것도 염치없어 관두었습니다

하지만 어쩌겠습니까

바람이 이리 아픈 날

당신을 부르지 않고는

너무도 큰 죄를 짓는 것이어요

아,

큰일입니다

그날처럼 가을입니다

겨울 산 아래에 서서

시린 바람이 기억을 후리는 겨울 산에서야
감춰 두었던 골짝을 보았습니다
골마다 버티고 선 나무를 보았습니다
나무마다 밟고 선 낙엽을 보았습니다
햇살과 비와 바람의 순리로만 알았던 것들,
버린 줄 알았던 시간들을 차곡히 쌓아
켜켜이 쌓은 제 몸을 삭혀 거름을 만들고
그 힘으로 푸르름을 지키고 섰었음을
겨울 산 아래 서서야 나는 알았습니다
푸른 산을 바라보던 철없던 오만
겨울의 앙상한 밑둥이 되어서야
나에게 닿았던 모든 것들이
우연도 만약도 없었다는 것을
당신이 버린 줄 알았던 이별을 잡고
겨울 산의 나무 아래 마주 서서야 알았습니다

걱정

날이 추워지니 걱정이다
아픈 몸보다
뼛속을 저며 드는 가난한 내일보다
더 걱정이다

산바람 휘돌다 강물에 닿아
여린 가슴에 부딪는
철썩철썩 시린 문양이 되어

살얼음 같은 기억의 파문,
위태롭게 밟고서
동지 기인 밤 내 아파할까
그게 더 걱정이다

그대 그만 그쳐요

후회의 가시 하나쯤 심장에 박고 살아가도

그대라서 행복합니다

채 피우지도
못한 사랑

아닐 거라고

내 안

깊은 어느 곳에

그리움 보따리 하나

이토록 꽁꽁 여미어 있었더니

소리 없이 다녀간 그대

쉽게도 펼쳐 놓고

아닐 거라고

잠 못 드는 밤

꿈 거리도 없어
빈 맘으로 눈 감은 나를
작신작신 두들겨 패야 합니까
내 가슴에 살아있는 누구시기에
맘 그림자 한 올 불러 놓고서
어찌 이리 모질도록
그리움의 회초리 때린답니까

뇨기尿氣

나는 문밖에 서 있습니다.

그리움의 깊이가 더해 갈수록 이방인의 현실은 낙인이
되어 지져댑니다.

닿을 듯 말 듯 그만큼에 마주서서 발 동동이는 철없는
안타까움.

이 안타까운 조바심을 지글지글 지져댑니다.

그리움은 내 방광을 부풀리고

참을 수 없는 뇨기尿氣에 성기를 부여잡습니다.

머리카락이 곤두섭니다.

사타구니에서 발가락 끝까지 찌릿찌릿 전기가 옵니다.

몸이 달아 죽을 지경입니다.

알지 못할 겁니다.

문밖에서 한 사내가 얼마나 힘겹게 배설의 욕구를 견
뎌내고 있는지

당신도 알 수는 없을 겁니다.

그리운 맘 마음껏 쏟아내지 못하고

문밖에 서 있는 이 사내의 절박한 뇨기尿氣를

아무도 알 수는 없을 겁니다.

어쩔 수 없는 이방인으로

나는 당신 마음의 문밖에 서 있습니다.

안갯속에서

안갯속에 서 있는 나를 유리벽 안의 그녀가 바라보고
있었다. 아니 어쩌면, 애당초 나란 존재는 보이지
않았을 수도 있었겠다. 초점을 맞출 수 없는 희미한
피사체 같은 그녀의 내일이나, 아득해진 남도 새벽
바다의 비릿한 가난 속을 걷는 계집아이가 되어
있었는지도 모르겠다. 술병이 바닥으로 내려지도록
술을 따랐어도 그녀의 오늘에서 도망친 눈길은
안갯속에서 돌아올 줄 몰랐다. 그녀도 나도 묻지
않았다. 그저 술을 잡고 안개를 마셨다. 또각이는
발걸음 소리를 따라 가파른 계단을 올랐다. 누구도
손을 끌지도 잡지도 않았지만, 마치 오랜 약속을
지키기라도 하는 것처럼 안개 휘감기는 용수 속으로
서로를 던졌다. 돌아누운 맨몸은 참 쓸쓸했다. 어깨에
이는 엷은 들썩임이 안개 물결을 잠시 걷어냈지만

이내 그녀는 보이지 않았다. 〈담배 줄까?〉〈…….〉
들리지 않는 걸 알면서도, 뭐라 한마디라도 하지
않으면 나를 용서할 수 없을 것 같았다. (미안해……
당신께 줄 수 있는 게 이거밖엔 없어서…….) 청자담배
은박지에 읊조려 놓고 한 알 남은 성냥과 피우지 못한
마지막 담배 한 개비를 남겨 두었다. 미명의 안갯속을
걷는 새벽, 혼자서 떠나왔던 그녀의 슬픈 침묵이
스멀스멀 번져 오고 그 멀리, 뜨겁던 한 청년이
지나간 길을 또 한 사내가 머언 기억의 안개를 잡고
울컥거리고 있었다.

2009l201화
안개 낀 새벽을 홀로 걸으며.

꿈속의 사랑

네가 운다고 그 여자가 우는 건 아니겠지

내가 널 사랑한다고

그 여자가 날 사랑하는 건 아닐 거야

네가 날 사랑하지만

그 여자가 그 남자를 사랑하는 건 아닐 거야

사내야

쓸쓸해 할 것 없어

원래 그런 거잖아

포옹이 깊을수록 빈 가슴만 키워 가는,

꿈속이라는 건.

슬픈 연서戀書

다가오지 말고
떠나지도 마시란
내 님의 편지

바람 앞에 마주 선
민들레 홀씨 같은
슬픈 우리 사랑

사랑이 울어요

개도 안 먹는 사랑 때문에 사랑이 울어요

쌀도 못 바꿀 사랑 때문에 사랑이 울어요

전부가 아니면 아무것도 아닌 내 사랑의 족쇄足鎖*

알면서도 바보 같은 사랑이

사랑이 울고 있어요

내 사랑 바보 때문에 내가 울어요

사랑이 울어요

* 내게 사랑은/158p

.

사랑은 아직도 끝나지 않았나요

30년도 더 지난 가왕王*의 노래를 듣는데

30년이나 어린 그대가 내게 옵니다

무엇이 그대를 그곳에 남겨 두었나요

이만큼 혼자 와서 생각하니

가슴을 쥐어뜯던 이별의 아픔도

풋사과처럼 새콤했어요

바다에 닿지 못할 울음

그대 그만 그쳐요

후회의 가시 하나쯤 심장에 박고 살아가도

그대라서 행복합니다

쓸쓸함이 무료해진 어느 날이면

그대도 그곳의 나를 찾아 주세요

사랑은 아직도 끝나지 않았냐 묻거들랑

그때는 그랬다고 말해 주세요

* 王 : 조용필

햇살 싱그럽던 오래전

달콤한 향기로 나비를 안고

기꺼이 그의 꽃이 되었으련만

차라리
꿈이었으면

잠에서 깨어

엉망으로 꼬인 실타래들이 죽음 같은 잠으로 포박해 갔다

신호가 끊긴 단파장의 금속성이 그물을 찢고 의식을 건져 올렸다

환영 같은 어둠의 그림자를 쏟아내는 브라운관을 등지고 담배를 물었다

쿨럭쿨럭

질겅거리며 입장권을 건네주던 노파도 늘 그랬다

모자를 거꾸로 쓰고 호크를 풀고 깡통단추도 두어 개 풀었다

롤라신을 단단히 조이면 세상 밖 끝까지 달릴 것 같았다

한 바퀴를 돌자마자

샅 밑이 뿌지직 터져 버렸다

터진 봉지에서 땅콩이 우당탕 굴러 떨어졌다

하얀 목덜미를 훔쳐보며 가슴을 콩닥이던 사랑도,

관습의 절벽 아래로 굴러떨어져 버렸다

생맥주는 이별의 절망만큼이나 시원했다

마른 김 한 봉을 주문했다

손바닥에 올려놓고 원수처럼 따귀를 때렸다

빵

빠방빠방

골목 어귀 어디에선가 자동차의 경보음이 들린다

군더더기 없던 아픔이야말로 진짜 사랑이었다

그때의 푸른 롤라신을 꺼내 신고 통속의 탁한 체념

밖으로 달렸다

긴 잠에서 깨어난 후에야

무력감에 빠진 심드렁한 어느 한 날

잊고 있던 헌 동화책을 넘기고 있었음을

무모한 나의 열정은 꽉 끼는 바지가 되어 그녀를 불

편하게 하고 말았다

막걸리

내가

나로부터 혹은 나에게로.

기억의 앙금이 침잠된 이성의 병을

거꾸로 들고 흔들었다

숙성되지 못한 가스가 오물과 함께 빠져나간다

네가

너로부터 혹은 너에게로.

네가 가라앉은 나를

거꾸로 들고 마구 흔든다

2012613수오후

막걸리를 마시며

Shake Your Booty – KC & The Sunshine Band

실뜨기

손가락이 엉켰습니다
엉킨 실은 서로의 손을 단단히 옭아맬 줄 알았습니다
반전이었습니다
꼬여 버린 실로는 더는 줄 수도 받을 수도 없는
약속의 함몰이었지요
마주하던 관계의 상실이었습니다

날실과 씨실의 구분도 없는
이 허황된 직조織造.
엉키고 난 후에야
무모한 치기稚氣임을 알았습니다

알고 나면, 모든 것은 참 우습기도 합니다
한 사람이 잡으면 한 사람은 놓아야만 하는

명료한 시간 앞에

누가 심장의 반을 갈라 내게 주고

난들 누구에게 그리할 수 있겠습니까

나비

나비가 앉았다
배꼽 아래 골반 언저리에
나비가 앉았다

나비가 앉았다
애정과 증오의 기억의 물동이*에
나비가 앉았다

햇살 싱그럽던 오래전
달콤한 향기로 나비를 안고
기꺼이 그의 꽃이 되었으련만

해 질 녘
고개 숙인 가난한 절망 위에도

나비가 앉았다

눈물로 변한 꿀을 담고도
놓아 버릴 수 없는 물동이 위에
앉아 있는 나비.

상체와 하체를 잇는 곳
원망과 후회를 잇는 곳
어제와 내일을 잇는 곳

그녀의 배꼽 아래 거기,
지울 수 없는 문신이 되어
연민의 나비가 앉아 있었다

* pelvis[영,라틴] : 골반, 물동이

꿈

꿈도 꿀 수 없는

꿈

아니라고,

백 번을 손사래를 치며

깨어난들

꿈같지도 않은

꿈

서러운 바늘

비 오는 거리에 서서
꿈같은 하얀 무덤가를 서성인다

광대의 저글링에서 놓쳐 버린 단도 하나
벼락같이 명줄을 자르고
봉인된 어둠을 깨우고 말았다

장난 같은 이별, 믿기지 않아도
어느 겁인가 앞서 왔던 나의 빚이다

승천의 날개에서 떨어지는
고단했던 비늘
서러운 바늘로 마구 쏟아져

남겨진 오늘로 꽂히고 있다

성냥 탑을 쌓으며

성냥 탑을 쌓다
한숨 한 번으로도 무너져 내릴 탑을
조심조심 소중하게 쌓아 올린다

하하하…… 바보
성냥 탑은 그냥 재밌는 놀이야
그게 너랑 나랑 다른 점이야
하하하……

- 그래 알아. 알고 있어
- 내 손으로 무너뜨릴 시간이 될지라도, 소홀하고 싶지
않아
- 그게 너랑 나랑 다른 점이야

다시 못 올 시간의 바늘들을 모두 모아

밤을 새워 성냥 탑을 쌓다

잠자는 공주

그녀의 유두는 꿈을 나서는 잠긴 문의 다이얼입니다
그리움은 내 혀를 뽑아 다이얼의 손잡이에 입을 맞추
어 물고
사랑의 소원들을 조합합니다

꼭지는 말라 떨어질 삼 이레지난 아이의 탯줄이 될
줄 알면서도
아라리[에베베]*같은 꿈의 언저리를
물고 빨고 돌립니다

혀가 해져 갈라지도록 꿈은 일상이 되어 있었습니다
퇴화한 촉수는 어둠의 거울 앞에서나 눈을 뜹니다

늙은 입맞춤으로 깨어나기엔

전설은 너무 깊이 잠들어 있고

전설을 포옹하는 어리석은 입맞춤은

누구도 깨워 안을 수 없는 혼잣말이 되었습니다

* 아라리[阿喇唎][명사] : 〈불교〉 넓은 들에 사람의 기척이 없는 지경.

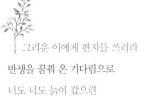

그리운 이에게 편지를 쓰리라

반생을 꿈꿔 온 기다림으로

너도 너도 늙어 갔으련

하염없이
네가 그리워

당신이 다녀가신 오늘

당신이 다녀가신 오늘

하늘이 무겁게 내려앉더니

바람이 몹시 불고 천둥이 으르렁거린 끝에

빗줄기가 쏟아졌습니다.

당신이 다녀가신 오늘 내린 빗줄기는

떠나지 못한 봄의 마지막 한 점마저

남기지 않을 심산이었으니

아파트 담장을 휘감아 타오르던 덩굴장미에겐

차라리 고마운 회초리입니다

떨어져 나간 꽃잎은 기인 띠를 이루며

배수구를 빠져나와 경사진 아스팔트 차로 위에 널브

러집니다

누구에겐 기쁨이었겠고

누구에겐 아쉬움이었겠고

누구에겐 슬픔이기도 했었겠지만
그렇게 낙화의 명命 앞에 고개를 숙이고
기쁨도 아쉬움도 슬픔마저 아니되라,
떠나 버립니다
당신이 다녀가시며 뿌려 놓은 빗줄기에
온몸을 장미꽃으로 적신 내가
바로 여기 있습니다
여기서 당신을 기다립니다.

담석膽石의 매듭

그날,
매듭을 엮고
운명이라고 꿀꺽 삼켰더라니

내 안에 담아둔 이름
욕심의 때를 더해
온 맘을 떠도는 담석이 되어 버렸지

그리움의 곡기穀氣, 냉정히 끊을 때마다
얇아진 이성의 굽은 창자를 찾아 저미는
모진 돌덩이

시퍼렇게 뜨겁던 혈관을 훑어 단단히 막고 서서
가난한 눈물에 머물며 깔깔거리던,

어쩌다

풀 수 없는 매듭의 성찬盛饌 앞에 숙주宿主가 되어

버려진 변태變態의 껍질처럼 잊혀 가는

한때의 얼굴이여

창窓

유난히도 더웠던 그해 여름
처진 어깨를 잡아끌며 기어가던 퇴근길에
어느 창밖으로 비추이는 불빛으로 하여
나는 멈추어 서고 말았는데
삼생의 어느 순간에선가
앞서 간 데자뷰의 매듭을 잡고서 말이다

정작 고개 숙여 뒤돌아서서
망각과 기억의 경계가 모호해져 버린
내 그림자와 나와 내 등 뒤의 불빛을 꾀어
주판알을 튕겨 몫을 지우고
손발가락 다 꼽아 검산을 해도

낙서가 되어 버린 기억의 창가에 불빛을 마주하면

거짓말 같이 가슴을 후리는

서러운 이름

고장 난 시계

네 시 반을 넘어서서는 시계가 멈춰 버렸는데,
태엽을 너무 빈틈없이 감은 욕심에 엉켜 풀리지 않아
서인 것 같기도 하고
아니면 나비 열쇠의 구멍이 헐거워진 것도 모르고
무심한 헛바퀴만 돌리고 있었기 때문인지도 모르겠어
시계가 걸린 벽 위로
긴 햇살이 뿌리고 창살의 그림자를 엎으며 별이 앉기
도 했었는데
멈추기 전에 시계는 햇살과 별빛과 다를 바 없어서
그놈이 벽에 찰싹 달라붙어 불알을 달그랑거리는 소
리를 들은 적이 없었지
어둠을 껌뻑이며 몸을 뒤척이는 한밤이 되어서야
달그랑달그랑 살아 내게 왔는데
나도 너도

보이지 않을 만큼 멀어져서야

느낄 수 없었던 햇살로 별빛으로

달그랑달그랑 울고 있던 거야

외로움의 고랑에 밀려오는 그리움

귀뚜리는 떠나갔고 서설은 멀리 있는

가난의 새벽

그래도 집이라고 기어들어와

벽을 보고 모로 누워 눈을 감자니

한 여름을 땡볕에 공들였어도

이불은 여전히 눅눅하기로

내 남은 온기마저 가져간다고

창밖도

방 안도

이불 속도

머릿속도

회색의 물감으로 뒤엉켜지고

시린 등짝을 공처럼 말아 잠을 잡으면

외로움이 그리움을 부르는 건지

그리움이 외로움을 부르는 건지

언제부터 주적주적 뿌리던 비가

가슴으로 긴 고랑 물길을 내고

한도 없이 너는 네게 몰려오더라

얼굴

동심원의 물결이 일어

햇살을 깨우고 새들을 모으고

바람을 불러 신록을 꿈꾸게 하였더니

그때 던져진 돌멩이 하나

그리움의 기억 끝에 대롱이는

쓸쓸한 추가 되었다

풍경소리

쌀도 아니고 돈도 아니던
그 몹쓸 것을 비웠더라니
비우고 나면 그만인 줄 알았습니다

까짓 거 비워 버리면 그만인 줄 알았습니다

비우고 간 오목 주발周鉢은 종鐘이 되더니
때앵때앵 밤새껏 홰를 쳐대다

돌아누워도 때앵땡
돌아누워도 때앵땡

그리움의 처마 끝에 흔들리는
가슴 아픈 풍경風磬이 되었습니다

너의 끈

　당신의 이름표가 달린 기억의 끈을 놓지 못하고 살아
간다는 것은
　순간순간 죽음의 공포와 마주 서는 일입니다

　기억을 떠올리면
　그래서 내 가슴이 아프게 방망이질 치면
　심장을 칭칭 동여매고 있는 끈이 더욱 조이며 살점을
파고들어
　세상 누구도 동정하지 못할 피 같은 것, 눈물 같은
것, 아니면 들판에 부는 바람 같은 것들이
　울컥울컥 쏟아져 나옵니다

　기억의 끈이 그리움의 심장을 터트리지 않도록
　아주 천천히 숨을 쉬어야 할 일입니다

속절없이 빈 그림자를 만들며 방망이질 치지 않도록

말입니다

터져,

다 쏟아져 나오고,

하얗게 쭉정이로 늘어진 내 주검 앞에

누가 측은한 눈물 한 점 보탤 수 있겠습니까

빈 하늘 아래 누운 내 싸늘한 절망을

누가 있어 알겠습니까

201011012950

끝없는 사랑 / 이순길

97

그리움은 늘 그만큼입니다

그리움은 늘 그만큼입니다

물러서지 않는 어둠과

닿이지 않는 햇살 사이에 웅성이는

99℃의 침묵입니다

이별에 젖은 기억의 수건에 덮여

꿈에서도 아물지 않는 가슴 아린 딱정이입니다

한겨울 산모롱이에 돋은 푸른 달래 순이기도 하고

시래기가 되어서도 겨울 낙수에 벌거벗고

고드름이 되어 버린 무청이기도 합니다

서로 다른 것들이 같은 크기의 방에 앉아 만든

주사위의 육면체와 같은

오늘에서 나와 내일로 견고히 엮이는 어제의 이름입니다

싱거운 웃음대야에 담긴 섦은 눈물

우리의 그리움은 늘 그만큼입니다

넌 참 이쁘다

넌 참 이쁘다

난 턱을 괴고 앉아서 널 보지

넌 무지 이쁘다

난 턱을 괴고 담배를 맛나게 피우면서 널 보지

넌 정말 이쁘지만

난 널 안아 줄 수가 없지

그래서 슬프다

슬퍼도

이쁜 건 이쁜 거다

나의 너란 영원히 이쁜 거다

그런 너는 내 가슴속에 있는데

나는 너의 어디에 있니

 벗어 놓은 기억의 묵은 옷을 깨끗하게 빨아 버린 건

아니니

쥐

강가를 걷던 중이었어요
언 땅이 녹고
물은 정작 흘러가는 강가에서
쥐가 나던 겁니다

아니지요 아니어요
담담히 녹아 제 길로 떠나는 겨울 앞에
미처 따라나서지 못하는 절름발이를
들켜 버린 겁니다

동면 속 깊은 겨울이
불쑥불쑥 녹아 떠나갈 때마다
그날을 딛고 멈추어 선 기억의 절름발이는
이렇게 쥐가 나는 겁니다

그뿐이 아닙니다
스치는 바람을
머언 하늘의 구름을
꽃이 피고 낙엽 지는 햇살을
문득문득 따라나설 때면
늘 그러하였습니다

허면, 오늘처럼 아프게 흐른 그리움의 눈물을
도리질의 코끝에 바르고 맴맴 거려도
저의 어제는 겨울을 나서지 못하고
그대 안에서 곧아 오르고 마는 겁니다

헛헛한 건배

뱃속이 기름지면 헛헛함이 덜 할까

닭 날개 튀김으로 반 마리만 시킬게
위하여!
많이 힘들지?
......
그래, 대답하지 마
나를 잡고 있는 손이 많이 힘들지?
다 버리고
숨 쉬는 것도 귀찮을 네가
날 보며 마주 있기가 얼마나 힘들겠어
나도 알고 있어.
네 손은 나보다 더 헛헛할 텐데
그냥, 마시자

......

그래, 대답하지 마

정 힘들면,

내가 손을 놓을게

있지도 않은 너를 불러 앉히고 건배를 한다

모서리에 앉아 술을 먹다

노동의 벅찬 어깨를 뽑아 가난도 쉴 곳을 찾아 눕고
달콤한 콧소리의 어린 사랑도 이른 취기를 업고 떠
나 버린
늦은 밤거리
병들고 버려진 늙은 수캐처럼 혼자 떠돌다
번데기와 두부김치를 불러 술을 마신다

텅 빈 주점 식탁 모서리에 앉아
나를 지우고
허기를 마신다

마주 보지 않으니
마주 볼 사람도 없고
옆 자리가 없으니

옆 사람도 없는 모서리에 앉아
그리움이 따르는 쓸쓸함을 마신다

간절하여도 빈자리는 빈자리
떠나고 남겨지고 보내고 돌아선
너와 나의 모서리에 앉아
오롯이 나를 마신다

비 오는 가을 낮 우체국에서

언젠가는 편지를 쓰리라던
어느 시인이 어느 가수가
기도처럼 통곡하듯

그리운 이에게 편지를 쓰리라
반생을 꿈꿔 온 기다림으로
너도 너도 늙어 갔으련

굳은 눈 험한 손 반백의 머리칼
야금야금 떠밀린 세월이려니
감춰 놓은 그리움 고이 불러 나서거든

우체국 한가로운 창문 너머로
가을 잎 스렁스렁 날아가는 날

내 그리운 세월 못다 한 이에게

다독여 온 눈물을 보내리라던

너무 먼 하늘을 보지 마세요

봄볕이 좋은 날이면

당신이 밟고 선 내 그리움은 짙어 갑니다

아름다운 그대,
그대만 있다면

영화 〈넘버 3〉의 삼류시인 같은
인생이라 한들

내 하루를 지켜 줄 보리개떡이

네 기름진 마음에 다가설

여유로운 별미일 수만 있다면,

내 노동으로 곱아든 손가락을 그을르는 땡볕이

회색공간의 눅눅함을 몰아내며 찾아든

오랜 장마 끝의 따사로움일 수 있다면

내가 꿈꾸는 모든 것이 네겐 이미 의미 없는 일상으로

내가 울고 내가 웃고 내가 주저앉고 일어서는 모든 것이

네 삶에 맛보지 못한 생경한 물음표로 던져져

눈에 뜨인 그 깊이만큼만 받아 줄 수 있다면

메아리면 어떠하리

다시 돌아올 수 있는 기약이라면

영화 〈넘버 쓰리〉의 삼류시인 같은 인생이라 한들

내가 내게 속고 내가 나를 속인 것 같이

내 가슴속으로 되돌아올 '꺼이꺼이' 울음이라 해도

돌아올 수 있는 메아리라도 될 수 있다면,

목 놓아 부를 수만 있다면

이 지긋지긋한

천형의 고독을 떨칠 수만 있다면

영화 〈넘버 쓰리〉의 삼류시인 같은 인생이라 여긴다 한들

실없이 불러 줄

실없이라도 불러 줄

네가 있다면.

200806112613수
너에게 나를 보내노니.

빈 몸인 사람 하나 만나고 싶다

빈 몸인 사람 하나 만나고 싶다
아무것도 없는 사람 하나 만나고 싶다
버릴 것도 채울 것도 없이
머릿속의 기억도 하얗게 텅 빈
그런 사람 내게 오면 좋겠다
빈손으로 마주 앉아 젖무덤 털렁이고 불알 두 쪽 달
랑거려도
동냥의 빵 한 조각에 배부른 트림이 나오는
아무것도 없는 사람 하나 만나고 싶다
게으른 눈곱을 마주 보며 웃음보가 터지는
가난한 내 고독에 어울릴 목마른 사랑 하나 만나고
싶다
만나서 얼쑤얼쑤 입을 맞추고
가릴 것 없이 밤낮으로 뒹굴고 싶다

보고 싶을 때 보고, 말하고 싶을 때 말하고
웃고 싶을 때 웃고, 울고 싶을 때 울고
덕지덕지 때 절은 손이라도 원 없이 잡을 수 있는
아무것도 없는 사람 하나 만나고 싶다
무인도를 꿈꾸지 않아도
공중변소 구석진 곳에 박스이불을 덮고서라도
마주 보면 신이 나는 그런 사람 하나 만나고 싶다.
그런 사람을 기다리는
누군가의 빈 몸으로 타오르면 좋겠다
그런 사랑 내게 오면 좋겠다

내 꽃

야윈 빈 가슴 안고 초라하게 돌아누운 사람아
얼마나 더 많은 그리움의 두레박을 던져 사랑을 길어
인연의 빈 밭에 나를 던져야
한 겨울 동토 속 소진한 믿음을 뚫고
그대 내게 오시렵니까
오시는 길
부질없는 계절 떠나보내고
미련스런 순종의 낙화의 기억도 다 떠나보내고
구도자의 새 눈이 열리듯 처연한 빈 몸이 되어
질긴 바람의 시샘 앞에서도 초연한 웃음을 띄울,
어제의 아픔을 찢고 깡총깡총 오시렵니까
와서 내 꽃이 되시렵니까

당신은 사랑입니다

당신은 외로움입니다
당신은 설렘입니다
당신은 기다림입니다
당신은 그리움입니다

잊힌 따비밭에 달빛도 없이 돋은 홑잎 덩굴
뿌리 끝에, 알알이 영글어 가는……
기쁨입니다 슬픔입니다

내 모든 끝.
당신은 사랑입니다

북향화北向花*

헐벗은 겨울의 주린 배에 찾아드는 포만은
당신이 있기 때문입니다
내 몫의 날을 다 살고도 하루를 더 살아야 한다면
당신이 거기 있기 때문입니다

꽃망울 터지는 별그늘에 누워서도 눈물이 흐른다면
당신이 없기 때문입니다
내 몫의 날을 남겨두고도 눈 감아야 한다면
당신이 여기 없기 때문입니다

내일이 오지 않거나,
오늘이 가지 않거나,
이 긴 불면의 밤을 지키고 선
모두가 당신 때문입니다

* 北向花 : 목련. 꽃봉오리가 피려고 할 때 끝이 북녘을 향한다고
해서 '북향화'라고 한다.

봄 그림자

햇살 좋은 봄날

길을 나선 그대여

허허로운 옷고름 풀어헤친들

어느 바람 한 가닥

온전히 당신 안으로 머물던가요

달콤한 초록은 천지에 널렸습니다

부드러운 미풍은 재채기같이

코끝을 스쳐 가는 봄꿈입니다

그대

너무 먼 하늘을 보지 마세요

봄볕이 좋은 날이면

당신이 밟고 선 내 그리움은 짙어 갑니다

카라멜마끼아또

찻잔을 바라보고 앉아
커피가 하얗게 다 식어 가도록
그 사람을 바라봅니다

쓸쓸함이 깊다 병이 되어 까맣게 타 버린 가슴으로
거울이 된 제 등을 안고 울던 사람입니다
익모초보다 더 쓰게 절여진 외로움이
그 사람이 되어 버린 머언 그대의 그림자를 불러
억울하게 통곡하던 사람입니다

거품이 되어 버린 삭은 이별의 기억을 잡고
에스프레소 같은 진한 사랑의 흔적이라
믿으려 하던 사람입니다
하면서도 서럽게 울던 날은 믿을 수 없노라고

달달하게 애써 웃던
거품 같은 사람입니다

단맛을 믿던 사람입니다
단맛이었다 믿고 싶어 하던 사람입니다
누구나 한 번은 빈 몸이 되어 건너야 하는 강가에 서서
쓴 커피 같던 이별의 기억을 고아
달달한 캐러멜 같은 자해의 배반을 맛보려던 사람입니다

아무리 애를 써도 입안에서만 겉도는
커피도 아닌 저편의 커피였습니다
저는 이미 맛보아 알았던
안쓰러운 감칠맛의 허무한 별식
뒤돌아설 수 없었던 거품의 단맛이었습니다

지금은 그 사람이 되어 버린 그대

거품 안의 에스프레소 같은 이름

카라멜마끼아또

울안의 백합百合

순결한 웃음 너만의 것
아무것도 내게 나눌 수 없는.

화사한 향기, 씨앗, 햇살들,
제 안으로 안으로만 살찌워 놓고

계절이 익으면 돌아서라
별일 없듯 돌아서라는

단정한 그대
울안의 구근화球根花여!

당신과 당신 사이의 나

눈을 감으면 당신이 있고
눈을 감으면 당신이 없고

눈을 뜨면 당신이 웃고
눈을 뜨면 당신이 울고

눈을 감으면 떠야만 하고
눈을 뜨면 감고만 싶은
이러 저러 못하는 당신과 당신 사이에

망부석이라네 철도 없는
망부석이기를 철도 없이

낮엔 눈을 감고 밤엔 눈을 뜨려 하는

당신과 당신 사이의 나

당신의 바퀴

당신 안에 가엾지 않은 것이
세상 어디 하나 있습니까
일출도 석양으로 지고
오월의 푸름도 구월의 낙엽이 되고

내가 있어 존재하는
어느 것 하나
제 혼자 살아지는 것이 있습디까

그대가 나를 불러 구름이 되고
구름은 비가 되고
비가 흘러 바다가 되었다
바다는 구름에 닿아
다시 그대가 되어도

나의 굴대에 꿰어 달음박질하는
덧없는 당신의 바퀴입니다

아껴 믿었거니,
축軸이 된 그대가 꿰어 굴리던 얼굴
무영無影의 쳇바퀴를
부디 서럽거나 노여워 말아 주세요
나만큼이나 넘치도록 가엾은
당신 안의 그대여

청개구리 사랑

당신은 나처럼
얼굴 붉히면 안 돼요
당신은 나처럼
가슴 콩닥여도 안 돼요
당신은 나처럼
눈물 안고 온 밤을 뒤척이면 안 돼요

당신은 내 생각에
피식 피식 웃기만 하세요
당신은 내 생각에
솜털처럼 가벼워진 마음만 가지세요
나는 꿈에서라도
당신의 달콤한 솜사탕으로 안기겠어요

그냥 오랜 친구처럼

하릴없는 손 한쪽만 건네주세요

내 그리움이 당신의 목에 감겨 울려 하거든

씨익 웃으며 좁은 어깨 토닥여 줄 만큼만

가볍게 가벼운 약속만 주세요

내가 울더라도 당신은 웃고

내가 웃거든 차갑게 눈 흘겨 주세요

안을 수 없는 사랑 앞에 애간장 다 녹는

내 속마음 부디 헤아리지 말아 주세요

어느 아침 당신의 마음에서 내 사랑 다 떠내려가면

그제야 통곡할 청개구리 사랑입니다

혼자서 쓸쓸히 살다가

혼자서 쓸쓸히 살다가

마침내 담담한 그림이 되려니

속절없는
가난의 굴레

이수일과 심순애 – 가난한 사랑

마주하고 원 없이 울어보리라
임 찾아 설레며 길 나섰단다
헤진 소맷귀만 숨어서 보다
담담하게 등 돌렸더란다
바짓가랑이 잡고 매달리던 신파,
전설 같은 웃음으로 털어 버리고
그리운 맘 씁쓸하게 돌렸더란다
후생에도 버릴 수 없는 다이아몬드
안길 수 없는 내 가난의 누더기가
임의 발길 돌려세웠더란다

로또

웬수 같은 놈

웬수같이 지긋지긋한 놈

땀 흘려 걸어 닿은 곳이 놈이 파 놓은 늪이라니

반생이 빠져 버린 진창 위에 징검다리를 놓으려 던
져 보는

핏발 선 돌덩이

초추初秋의 바람 앞에서

처음부터 그곳에 있어
아무도 모르는
머언 산

가난한 망자亡者의 잊혀진 지게에 올라 나선 길섶
거기 이름 없는 잡목雜木. 가지 끝에,
늙은 개의 털 같은 한 생이 있었더라니
처서處暑를 떠나온 바람이 불러
기꺼이 쓸쓸한 낙엽이 되는데

보이지 않는 그 곳에
찾을 수 없는 그 길에
오지도 않은 그 날에

속절없는 가난의 굴레

혼자서 쓸쓸히 살다가

혼자서 쓸쓸히 살다가

마침내 담담한 그림이 되려니

20090901화

바람 쓸쓸한 오후

가난

무엇으로 바꾸어 줄까?

쓸모도 없는 불알 두 쪽……

200810260303
세원포차

내게 사랑은 3

감은 눈을 뜨게 하고
곱은 다리를 펴 서게 하는 것
한 장의 밀떡도
반 마리의 생선도 없는 내 가난한 가슴으로
눈물 흘리며 안길
기적을 꿈꾸는 것

사내야 미안하다

미안하다 네 고집을 지켜주지 못해서

열정의 시간을 보상해 주지 못해서

바른 도덕적 신념이 옳은 것이었다고 증명해 주지 못

해서

부러지고 찢어지고 데고 덧난

고통의 시간을 바라만 보면서

2차원의 꿈과 3차원의 현실을 함께 주어서

지금보다 나아질 내일을 약속할 수 없어서

알면서도

나서 말리지 못해서

사내야 네겐 다 미안하다

늙은 내가 젊은 널 생각하면

미안하다

미안하다

반주飯酒[1]

시장 싸전 초입 「호랑용역공사」
늙은 개잡부 신 씨는 공구리패[2] 물당이었다
가난에 떠밀려 나선 첫 새벽
「시거리집」[3] 난로가로 모여 앉으면
"많이 먹어라. 우리 같은 사람 밥심으로 산다."

밥 힘으로 사는 내가
뜬금없이 반주飯酒를 마신다
마신 후에야
그가 왜 국밥 대신 탁배기 한 잔을 더 마셨어야 했는지

밥 힘이 다하면 술 힘으로 버텨야 하는 시간이 온다는 걸
그의 반주飯酒는 무력한 내일의 늪에서 벗어나려는
반주飯走[4]였다는 걸,

고독孤獨의 사치가 되어 버린 내 가난한 절망이.

1 밥을 먹을 때에 곁들여서 한두 잔 마시는 술

2 콘크리트 타설 팀. 보통, 자갈질통 2명, 모래질통 2명, 삽(비빔조)
4명, 물당번(쎄맨당번겸임) 1명으로 구성되어 있으며, 그중 물당번은
연령이 차서 힘이 없는 고참 잡부를 대우해서 맡겼다. 레미콘 차량이
진입할 수 없는 오지이거나, 소규모 공사 시에 운용되었다.

3 해장국집 상호. 500원이면, 우거지국에 찬밥 한 술을 말아 주고
탁배기 한 잔이 곁들여 나왔다.

4 배반하여 도망감

가난 2

오랜만에 만난 후배 H군

"형님! 왜 이렇게 얼굴이 상하셨어요. 병원에 좀 한번
다녀오시죠."

'여름 동안 땀을 많이 흘려서 그렇겠지.'

아서라 아서라

몰라서 미련하게는 죽어도

알고도 가난해서 죽기는 싫으이

보도블록이 된 잔디가 말하길

손 내밀지 말고 잡지도 말라
혼자 밟혀라 혼자서 견뎌라

살아야겠거든
치열한 갈망이 삶에 대함이거든
그 목마름이 죽음을 눈 뜨게 하거든

네 안으로 안으로
철저히 향하라

교차로交叉路에서

앞서느니 부족한 어제도
뒤를 보면 넉넉한 오늘이려니

네가 나를 삼켰는지
내가 너를 삼켰는지

가난이
새삼스레 물어 오기를

직진도 아니 되고
후진도 아니 되고

200808242625일 쓰고 옮기다
Poor Man's Moody Blues / Barclay James Harvest

로또 2

K에게서 연락이 없다
기다려 달라더니,
하늘도 무심하지
이번 달에도 그른 모양이다

구두 뒤축 끄는 소리
화상이 퇴근하는 모양이다
소리 없이 사라진다는 놈,
이번 주에도 그른 모양이지

꼬질거리는 오늘의 앞치마를 다시 걸치고
구정물 같은 내일을 박박 닦는다

노숙자의 기도 – 사랑의 염念

나를 지키는 일이다
어제가 비켜 가는 따스한 맨바닥
행복한 골판지
아껴 남긴 두 홉의 쐬주, 내 내일.
지키는 일.

이토록 충실한 내게,
나누길 바라지 마라
내 골판지 아래 누구의 팔을 베어 주리오

그런 내게 무엇도 베풀지 마라.
구하지 마라
비울 수 없는 내일을 위해 배식의 긴 차례에 고개 숙인
발 동동이는 내게,

사랑하는 이여

그대 거기 있거든

장미꽃을 꿈꾸지 마라

다시, 보리밭

뒷골목 첫 잔의 선술집
며루치 한 종지를 먼저 내왔다
대가리에 멀건 고추장을 푹 찍으며
본적도 없는 옛사람*의 곤궁한 판잣집에 앉아
주린 배를 넘어서던 야윈 바다를 기억하노니

우리의 고독은
엄청 우월한 유전자이거나
삼계 어디에도 머물 수 없는 깊은 원한
혹은, 쫀쫀한 자폐인가 보다

4번 도로
퀴퀴한 선술집
문 앞 반쪽짜리 탁자에 앉아

온몸으로 안은 가난의 바람 앞에서야

다시 피난의 파도는 웅성거리고

빈 가슴을 헹구는 새우젓의 감칠맛,

아 아! 넘실거리는

고독의 아픈 쾌감이여

201102102704일번지

보리밭 / 박화목 시, 윤용하 곡

* 윤용하 尹龍河 (1922~1965) : 작곡가. 황해도 은율 출생. 만주 봉천보통학교를 졸업하고 정규음악교육을 받지 않았으나 봉천 방송국 관현악단의 지휘자인 일본인 가네꼬에게 부정기적으로 화성법과 대위법을 배우고 독학으로 합창곡 동요곡 등을 작곡했다. 교성곡 〈조선의 사계〉와 가곡 〈독백〉 등을 작곡하였다. 1943년 신경으로 가서 김동진ㆍ김대현 등과 함께 활발한 음악활동을 펼쳤다. 대표적 작품으로 교향곡 〈개선〉, 교성곡 〈조선의 사계〉, 가곡 〈보리밭〉, 동요 〈나뭇잎 배〉 등이 있다. 새우젓에 찍은 가난을 막 소주와 즐기다 요절했다.

어머니 전 괜찮습니다

달빛은 차가웁고
귀뚜리 울음도 쓸쓸한 가을밤
빈 몸 하나
닿을 곳도 없이 걸어가지만
어머니,
전 괜찮습니다.

어머니
전 괜찮습니다
숨 막히는 한여름
머언 천 리 남도 황톳길을
발가락 뚝뚝 떼어주며 걸어간
사내*도 있었다는데,

찔뚝찔뚝 오늘을 끌며

낙엽이 되고,

겨울이 된들.

어머니,

전 괜찮습니다

저는 정말로 괜찮습니다.

* 사내 : 『한하운』《전라도길》

구멍 난 빈 가슴 속 보듬어 온 이름 하나

그제야 그리움도 새가 되기로

그제서야 훨훨 떠나가리라

성숙에
대하여

이별의 변(辨)

사랑하는 이여
재가 되고 싶지 않은 사랑이 어디 있겠어요
지금은 맘이 아파도,
그리움이 한소끔 지난 어느 기억의 그늘에 서면
안을 수 없어서 아름다웠다고
담담할 그 미소를 위해 떠나갑니다

서럽겠지요
문득문득 쓸쓸한 후회도 할 거구요
그래도 이별은 옳은 일이에요
내 탓도 그대 탓도 아닌 헤어짐 앞에
눈물을 흘리면 또 어떻습니까

초록이 깊어 낙엽이 지고

그 잎 진 자리에 사락사락 나리는 눈발처럼

우리의 인연도 익어 낙엽이 되고

가슴 아픈 그리움의 눈발 아름답게 쌓이는 일입니다

사랑 앞에 할 수 있는 못난 나의 최선

그대에게로의 이별을 용서하세요

알듯 모를 듯한 이별의 변이

더러는 고막을 넘어 가슴에 닿기도 하고

대부분은 튕겨져 돌아 나와 귓구멍을 떠다니는

허무한 메아리가 되었다

괴기 반찬

쌀독 바닥이 보인다.

쉰 밥 찬 밥 징징거릴 날도 얼마 남지 않은 것 같다

가슴 아픈 그리움의 괴기 반찬,

배부른 투정이었다고

머지않아 혀를 차겠지

부를 수 없는 이름 앞에 놓고

맘이 참 아팠던 새벽.

살아 있으면 된 거지 하면서도,

곪지 말고, 잘 여물면 좋겠다.

모든 이별로부터……

내 안의 샘

옹달샘이 있었어요

시리도록 맑은 물이 솟는

아주 맛 좋은 옹달샘이 있었지요

샘을 지키고 앉아 내일을 헐어 두덩을 쌓았더랬죠

내게서 떠나 흐르다

누구의 갈증에 닿아 행여 더 달콤하게 적시실라

이별의 얼음에 가두었던 단절의 겨울이 자지러들어도

혹시라도 영영 솟지 않을까 당신을 내 안에 가두었죠

더 높고 더 두껍게 어제를 쌓아

내 안 가득 당신이 늘 출렁이기를 바랐습니다

한동안은 흡족도 하였더랬어요

기억은 쉼 없이 솟아

동지 칼바람보다 매섭게 나를 깨우고 다그쳤거든요

그러다가 어느 날 말입니다

내가 만든 두덩 안을 가득 채운 물이

이미 당신이 아니라는 것을 알았습니다

내가 가두어 멈추어 선 시간 안에서

더는 당신이 솟지 않았습니다

그뿐이 아닙니다

어제를 넘어서지 못한 물은 곪아

오늘의 반짝이는 별들을 비추어내지 못하였습니다

옹달샘이 있었어요

나를 쌓아 물길을 막고 당신을 가두었던

옹달샘이 있었지요

고집스러운 욕정을 허물어 흐르게 한 후에야

당신은 처음처럼 내게로 퐁퐁 솟아오르고

기억의 햇살을 눈부시도록 아름답게 산란하였습니다

손등이 잠길 만큼만 고였다

꽃잎을 안고 바람을 그리며 마음껏 흐르게 한 후에야

당신은 당신이 되어 용솟음쳤습니다

나도 그제야 당신의 두덩을 넘어

편하게 흘러가게 되었습니다

내게 사랑은

모두를 채우기 위함이거나
모두를 비우기 위함

외롭다고 올 것이며
쓸쓸하다 고독하다 올 일이겠나

진저리치도록 아파하다
그 아픔까지 가슴 쓸쓸한 미소가 되는

내게 사랑은
전부全部 아니면 전무全無

사람이 다른 사람으로 잊혀지네

사람에게 사랑의 돌을 묶어 이별의 강에 던지면

퉁퉁 부어 검게 썩을 인연의 주검에서 향기라도 나나요

깨어진 독을 채우는 목마름이 쑥스럽다 하셔야지

사랑이 어찌 다른 사랑으로 잊힌다 하세요

거짓말 마세요 속이려 말아요 우기지 마요

사랑은 심장을 떠다니는 가시와 같은 걸요

그리 쉽게 잊히는 게 어디 사랑이에요

생각해 봐요,

그 목마름이 사랑이었는지 사람이었는지

사랑이 다른 사랑으로 잊혀진다 마세요

사람이 다른 사람으로 잊히는 거겠죠

이별 나무

야속도 하였답니다

동토의 절망을 견디며 버티어 낸 의지의 뿌리를 쑤석
이는 폭우

애써 길어 올린 약속의 단물을 빼앗아 가려는 더위

바란 것 없이 틔운 잎과 가지를 찢어 내려던 바람

내가 실한 과육과 곧은 가지를 갖지 못한 것은

모두가 그들의 훼방 때문이었죠

잘못도 없는 나를 뒤 흔들던

햇살, 바람, 비……

야속도 하였답니다

무엇이 나를 지켰습니까

사월 먼지 같은 땅을 악착같이 움켜쥐고

혼자의 힘으로 버티고 살아 견뎌냈습니다

믿고 쉴 곳은 내가 만든 내 그늘뿐이었습니다

나를 지키려 내 안으로 단단히 움츠렸습니다

그늘 안으로 휜 가지는 더는 잎이 필요 없어졌습니다

잎이 없는 가지를 위해 물을 길을 필요가 없어졌습니다

물을 찾아 악착같던 뿌리도 흙을 놓았습니다

성긴 뿌리 사이로 흙이 차츰차츰 사라졌습니다

물이 없는 가지는 잎을 틔우지 못하였습니다

잎이 사라지자 그늘도 사라졌습니다

아, 나는 내 안에서 점점 야위어 갔습니다

서둘러 물을 길으려 흙을 움켜쥐려 하였으나

이미 먼지가 되어 흔적도 없었습니다

지킨 것 없는 빈 몸이 이별의 벼랑 끝을 잡고서야 알
게 되었습니다

햇살과 바람과 비가 흙을 만들고

그 흙 위에 잠시 뿌리를 내렸다는 것을

내가 키워 온 시간의 텅 빈 나무는

흙과 비와 햇살과 바람의 씨앗이 자라난 것임을

이제야 알게 되었습니다

허망할 것도

모두가 하릴없는 내 몫이었습니다

눈물 속에 꽃은 피나니

기다리지 않고서야

어찌 꽃을 피우랴

기다림은 그리움의 눈물

눈물은 간절한 그리움의 환희일지니

눈물 한 점 보탬도 없이

어찌 꽃을 기다릴 수 있으리오

고욤나무

너는 나에게도 잊혀질 거야
열매 맺지 못하니 당연한 것이지
생각해 봐요
내게 보인 푸름의 도도함을
그 달콤한 노래에 취해
살랑대던 유희가 내 것인 줄 알았겠지
이제 너의 밑둥을 베어 버리면
교만했던 푸름도 안녕인 거야
그래, 아직 햇볕이 따갑기는 해
하지만 우리는 이미 가을에 있어
혹,
망설이다 맺지 못한 것 일지라도
떫은 고욤 하나 건네지 못한 기억
두고두고 후회할 거야

잊히고 나서야 알게 될 거야

너는 나에게서도 잊혀질 거야

201309051147목
Flying To The Moon 떠난 날을 위한 엘레지/
Utada Hikaru宇多田ヒカル

고독苦獨 8

꼬이고 꼬여 바라만 보는 실타래라
무기력 혹은, 감당할 수 없는 패닉이라.
스치는 바람 한 올보다도 못한
허무의 무존재라.

비울 수만 있다면
비육된 배반의 이별에 눈 먼 쓰레기 같은 알몸뚱이
자근자근 용서 없이 찢어 버리고
통곡도 남김없이 비워 버리면

구멍 난 빈 가슴 속 보듬어 온 이름 하나
그제야 그리움도 새가 되기로
그제서야 훨훨 떠나가리라.

삼겹살을 먹으며

고것 참, 야들야들 잘도 삭혔다
초파리 한 마리 술독에 보일 즘에야
농익은 취기가 제격인 것처럼
괴기 맛도 썩기 전이 최고라 했던가

그리움이 이렇게도 감친 걸 보니
누군가 내 안에 곰삭고 있긴 한데,

사랑이 다해 이별이 되는 거라면
이별 앞의 사랑이야
얼마나 절절하게 아름다우랴

홍등紅燈 아래서 – 너를 보내며

네 숨소리

희미한 천장 모서리마다

메아리로 오는 가쁜 헐떡임

활처럼 휜다

별이 떨어진다

울었다. 울음은 웃음이 되고,

그 웃음에 난 너를 비운다

침 냄새

달콤함 혹은 비릿함. 그 귓볼,

외마디 신음으로 무너져 내린다

온 몸으로 느끼는 너의 전부

아래에 이는 엷은 경련

보일 듯 말 듯한 너의 마음

어둠.

잦아드는 숨소리

서먹한 침묵

기차가 떠난다

상행선일까 하행선일까

불두덩 뼈 뼈개지도록 내 안을 탐하던

이 밤,

그 밤마다 통곡하던 내 순진한 교성嬌聲

주섬주섬 허리춤 채우고 돌아서면

손에 쥔 화대花代만큼만

내게 준 진심이었겠지

떠나지 마라

내가 널 보내는 거다

내 밑이 막히도록 잡으려 해도

네 안으로 거두운 무존재,

오늘.

내가 너를 보내는 거다.

나뭇잎

성숙에 대하여

떠나

바람에 까불다

바랄 것 없이 눕다

당신이 가야 할 길이라면

침묵을
새삼스런 이름으로 떠올려야 했었는지.
사랑이란 것의 모든 충만의 갈 곳은
"편하게 해주는 것."
그 안에서라야,
눈물도 한숨도 안타까움도 가슴 저린 그리움까지도
옳은 것이 되고 아름다운 것.
인생의 외로운 길 위에 선 고독한 마라토너의 지친
반환점에서
달콤한 이온수 한 모금에 달리기를 멈추려 했었다고,
마지막 남은 것도 마저 다 주고
내가 달려온 길을 다시 뛰어가노라고,
당신의 침묵에,
어쩔 수 없는 선택이었더라도

그것이 당신이 가야 할 길이었다면

이 침묵 앞에

내 순진한 교성을 멈춰야 옳겠다고······.

흔들리지 않고 피는 꽃이 어디 있으랴*

꽃을 나서면

밤새 앓던 몸살도 부질없답니다

나서 보면 알게 된답니다

유치만만 하였던 어린 두통

그러니 들으랍니다

흔들리지 않고 피는 꽃이 어디 있더냐*

거 봐,

저 봐라,

그러하나니…….

왜 나는 당신을 나서 꽃을 보라

말하지 않았나요

그것은 관조의 가면으로 봉인한

나의 곤궁한 거짓입니다

꽃을 외면하는 비겁함이 싫어서지요

꽃이었다

꽃으로 앓다

꽃으로 지면 될 일입니다

배고픈 치기의 달콤한 통증

바람에 부대끼며 흔들리어도

꽃을 나서지 않는 오늘

덜 것 없는 꽃의 일입니다

* 도종환 詩「흔들리지 않고 피는 꽃이 어디 있으랴」

20130423화

Wild flower/Skylark